Clifford
tout p'tit

Sois prudent, Clifford

Helen Delaney
Illustrations de Steve Haefele

Texte français d'Isabellle Allard

D'après les livres de la collection
« Clifford, le gros chien rouge » de Norman Bridwell

Copyright © Scholastic Entertainment Inc., 2006.
Copyright © Éditions Scholastic, 2007, pour le texte français.
Tous droits réservés.

ISBN 978-0-545-99814-7

Titre original : Clifford's puppy days – The Big Red Stop Sign
Conception graphique : Michael Massen
D'après les livres de la collection CLIFFORD, LE GROS CHIEN ROUGE publiés par les Éditions Scholastic.
MC et Copyright © Norman Bridwell.
SCHOLASTIC et les logos connexes sont des marques de commerce ou des marques déposées de Scholastic Inc.
CLIFFORD, CLIFFORD LE GROS CHIEN ROUGE, CLIFFORD TOUT P'TIT et les logos connexes
sont des marques de commerce ou des marques déposées de Norman Bridwell.

Édition publiée par les Éditions Scholastic, 604, rue King Ouest, Toronto (Ontario) M5V 1E1.

5 4 3 2 1   Imprimé au Canada   07 08 09 10 11

Éditions
■SCHOLASTIC

— C'est samedi, Clifford!
s'écrie Émilie. Il n'y a pas d'école
aujourd'hui!

Clifford remue la queue.

Il va pouvoir jouer toute la

journée avec Émilie!

Clifford et Émilie se dépêchent
de finir leur déjeuner.

—Veux-tu un autre œuf? demande
M. Mignon.

— Je n'ai pas le temps, papa,
répond Émilie. Je vais emmener
Clifford faire une promenade!

— Es-tu prête? demande Mme Mignon.
Tu te souviens des règles de sécurité?

— Oui, maman, dit Émilie.

Clifford a hâte d'aller dehors!

Les rayons du soleil réchauffent Clifford.

La brise a une odeur printanière.

Quelle belle journée pour faire une

promenade!

— Attends, Clifford! crie Émilie.

« *Vite, Émilie!* » pense Clifford.

POUÊT-POUÊT!

Un bruit de klaxon fait sursauter le petit chiot rouge.

Il tombe à la renverse et un gros autobus passe devant lui à toute vitesse.

— Attention! crie une grande fille
à vélo. Ton petit chien pourrait se
faire blesser!

Émilie serre Clifford dans ses bras. Le cœur du chiot bat très fort.

—Tu n'es pas prudent, Clifford! dit Émilie.

« *Qu'est-ce que j'ai fait?* » pense Clifford.

— Éloignons-nous de la rue, dit Émilie d'un air triste. Allons au terrain de jeu.

« *Et notre promenade?* » pense Clifford.

—Tu n'as pas vu le gros panneau
rouge? gazouille Norville.

— Qu'est-ce que ça veut dire?
demande Clifford.

— Ça veut dire VOLE! répond Norville.

Vole très haut, au-dessus des voitures!

Clifford veut essayer!

Il court jusqu'au gros panneau rouge.

— Où vas-tu? demande Émilie.

« *Regarde-moi bien!* » pense Clifford.

Il saute dans les airs.

—Vole, Clifford, vole! crie Norville.

Mais Clifford ne vole pas.

Il retombe.

BOUM!

— Gros bêta! dit Émilie. Ce gros
panneau rouge veut dire ARRÊTE.

— Oups! chuchote Norville.

C'est peut-être seulement pour les

oiseaux que ça veut dire VOLE!

—Tu as beaucoup de choses à apprendre, mon petit chiot! dit Émilie.

— Je vais t'enseigner quelques règles

de sécurité avant notre promenade.

— *OUAF!* dit Clifford.

Clifford apprend à toujours rester
à côté d'Émilie.

Il apprend qu'il faut s'arrêter au gros panneau rouge avant de traverser la rue.

Il faut regarder à gauche, à droite,

puis de nouveau à gauche.

Est-ce qu'il y a des voitures qui s'en viennent?
Il faut toujours s'assurer qu'il n'y a pas de
danger avant de traverser.

Il faut toujours rester sur le trottoir.

— Le trottoir, c'est pour nous, Clifford,
explique Émilie.

— La rue, c'est pour les voitures
et les camions.

— Bravo, Clifford! dit Émilie.

Clifford est fier de pouvoir suivre

les règles.

Il se sent important.

Il reste à côté d'Émilie et ils reviennent

prudemment à la maison.

— Comment s'est passée votre promenade? demande M. Mignon.

— Ils ont bien pris soin l'un de l'autre, répond Mme Mignon.

— Maintenant, Clifford connaît les règles de sécurité! dit Émilie. Tu es prudent, hein, Clifford?

— *OUAF!* répond Clifford, tout content.

Clifford a passé une merveilleuse journée, mais il est heureux d'être rentré à la maison.

Te souviens-tu?

Encercle la bonne réponse.

1. Qu'est-ce qu'Émilie et Clifford aiment faire le samedi?

   a. Jouer au baseball.

   b. Se promener.

   c. Faire un gâteau.

2. D'après Norville, que veut dire le gros panneau rouge?

   a. Marche.

   b. Arrête.

   c. Vole.

Qu'est-il arrivé en premier?

Qu'est-ce qui s'est passé ensuite?

Qu'est-il arrivé en dernier?

Écris 1, 2 ou 3 dans l'espace qui suit chaque phrase :

Clifford apprend les règles de sécurité. _____

Clifford et Émilie prennent leur déjeuner. _____

Clifford et Émilie font une promenade. _____

Réponses :